Inhabited Heart

Thanks are due to Senhor José Blanco and The Calouste Gulbenkian Foundation, Lisbon, Portugal, for their generous support, and to Senhor Eugenio de Andrade for granting permission to print material from the books copyrighted in his name.

Translator's Dedication:

To Joaquim Manuel Magalhães and João Miguel Fernandes Jorge.

Perivale Translation Series No. 8

INHABITED HEART:

The Selected Poems of Eugenio de Andrade
Bi-Lingual Edition

Translated by
Alexis Levitin

with an
Introduction by
Pilar Gómez Bedate
University of Puerto Rico/Mayagüez

July, '85

Here's my Inhabited Heart, while I await, with confidence, your Winter Hunger

Love,
Alexis

PERIVALE PRESS

Library of Congress Number 84-061570

ISBN 0-912288-24-8 (paper bound)

Acknowledgements: Some of the translations in this volume have already appeared in the following literary magazines and are reprinted with their permission:

Christopher Street - Cutbank - Confrontation - Home Planet News - International Poetry Review - Mississippi Review - Mr. Cogito - Modern Poetry Studies - Mundus Artium - New Letters - New Orleans Review - Ohio Journal - Poetry East - Poetry Now - Portland Review - Translation

Published by
Perivale Press
13830 Erwin Street
Van Nuys, California 91401

Manufactured in the United States of America

First Edition

Library of Congress Cataloging in Publication Data
De Andrade, Eugenio
Inhabited Heart

I. Title
84-061570 ISBN 0-912288-24-8

TABLE OF CONTENTS

INTRODUCTION

Eugenio de Andrade

Eugenio de Andrade was born in 1923 in Povoa de Atalaia, a small Portuguese town near the Spanish border. One of the most important poets of contemporary Portugal, and probably the most highly anthologized and best selling of all after Fernando Pesoa (1888–1935), he first won respect and admiration in the literary circles of his country with the publication of *As Mãos e Os Frutos* in 1948. That book had been preceeded by two others, *Adolescente* (1942) and *Pureza* (1945), and by a volume of translations into Portuguese of Federico Garcia Lorca.

As Mãos e Os Frutos already had its own style and its own world. It presented a vision of poetry as the purification of passions, a vision which hasn't changed substantially over the years, although it has been enriched by the incorporation of some new subjects gathered from experience and by some new forms, like the prose poem.

Historically, Eugenio de Andrade may be classified as a post-symbolist. On the one hand he stands in Portuguese poetry as a successor to Teixeira de Pascoaes (1877–1952), Camilo Pessanha (1867–1926), and, of course, Fernando Pessoa and Antonio Botto (1902–1959). At the same time, he has not only been influenced by Federico Garcia Lorca (1898–1936), whom he discovered in 1940 and immediately admired, but also by other poets of the same Spanish generation of '27, like Vicente Aleixandre (b. 1898) and Luis Cernuda (1904–1963). These authors represented in Spanish literature a parallel to the Portuguese poets cited above in that all of them were writers who incorporated the language of the European avant-garde (creationism, surrealism, futurism) into a world that was heir to the great masters of Symbolism. It is also worth mentioning that the work of Eugenio de Andrade continues in a direct line from Verlaine, Baudelaire, and Rimbaud, as well.

With this rich tradition behind him, our poet finds his own particular road, a road which, as you shall see upon reading him, joins a simple diction and conversational, at times chatty, air to the terse and clearly musical form of his poems, with their predominant rhythms of song or strophe. In other words, Eugenio de Andrade has looked to medieval troubadours and the songs of the Renaissance (in the Hispano-Portuguese tradition) for the musicality of his poetry, but, simplifying it, has brought it closer to the oriental tradition—making it lighter, while using it to depict, for example, the sensations of modern day city life.

It has often been noted that the principal concern of De Andrade's poetry is the experience of amorous passion focused in a physical relationship. This direct eroticism, however, is transformed by an assimilation of the lovers' bodies with the things of nature such as rivers, trees, stones, the sea. Transformed into these natural entities, the lovers, attracted by mutual desire, search and yearn for each other, only to separate and forget, later on, in accord with a natural law, in a series of cycles that seem to reflect those of the seasons. This vision of love, even when it treats of homosexual love, is presented with a total absence of any sense of sin or guilt. Here we have "the vindication of the body as paradigm and instrument of beauty and, at the same time, instrument of communication with nature and with our fellow man," as Angel Crespo says in his introduction to his Spanish translation of Eugenio de Andrade's *Antologia Poetica*. These are essential elements of the so-called Paganism of our poet that springs from a telluric conception of the universe and that, in his most recent phase, becomes a disquieting voice raised against the decay old age brings to corporeal beauty.

The theme of love-passion in de Andrade's poetry joins with his love for his mother, memories of childhood, and his relationship to nature and to the earth. To the latter, he has dedicated a recent book *Escrita da Terra,* in which, in an epigrammatical style, he gathers together reactions to certain places whose names have a special meaning in his own life or even within the general culture. However, although all these subjects seem to be thoroughly autobiographical, one must note that individual experience is always transcended and that personal feelings are always converted to universal symbols. In the same way, balancing contraries, the melancholy that comes from memories of lost love or lost youth is counteracted by a lucid and proud acceptance of the ephemeral nature of all that exists, and the result is a stoic stance before destiny.

We cannot end these brief lines of presentation without noting that for this poet, his vocation is one of the ways of liberating man, for, in his own words, it obliges him to confront himself and to react against "a culture more interested in hiding from man his face than in bringing it, beautiful and dark, to the limpid light of day. It is against the absence of man in man that the word of the poet rebels, it is against this amputation of the living body of life that the poet revolts. And if he dare 'to sing on the rack' it is because he doesn't want to die without seeing himself in his own eyes and recognizing himself and hating himself or even loving himself, should that be the case, which I would rather doubt. From Homer to St. John of the Cross, from Vergil to Alexander Blok, from Li Po to William Blake, from Basho to Cavafy, the greatest ambition in making poetry was always the same: *Ecce Homo*, each poem seems to say. Behold the man, behold his ephemeral face made of thousands and thousands of faces, all of them gloriously breathing on earth, none superior to another, separated by a thousand and one differences, united by a thousand and one things in common, similar and distinct, all alike, yet every one unique, alone, forsaken. It is to such a face that every poet is doubly bound. His rebellion is in the name of this fidelity. Fidelity to man and to his lucid hope of being entirely so; fidelity to the earth into which our deepest roots plunge; fidelity to the word, which in man is capable of the ultimate truth of the blood, which is also the truth of the soul."

That is how Eugenio de Andrade puts it in *Rosto Precario* (1979). It is this insistance on struggling against the inherent tragedy of the human condition, this desire to participate in the common life of humanity, that separates him from the decadence in which his poetry has its roots. It is this that turns him into an eminently modern writer, giving to his elegant and refined work the appeal it exerts on the reader of today.

Pilar Gomez Bedate
Universidad de Puerto Rico,
Mayagüez

TRANSLATOR'S PREFACE

The poems in this volume are presented in chronological order. They are drawn from all stages of the poet's career, the first having appeared in *As Mãos e Os Frutos* (1948), the last in *Branco no Branco* (1984). By and large, this selection reflects the poet's own preferences: these are his favorite poems, the ones by which he would want to be remembered.

Eugenio de Andrade was a most gracious host and patient collaborator. Our work together was exciting, exhausting, and intensely rewarding. He has my deepest thanks and most fond memories. I would also like to thank Clara Pires, the perfect translator's informant, whose literary wisdom and intelligence were coupled with wit, charm, and remarkable endurance. Thanks are also due my colleague, Professor Thomas Braga, and my student Roman Perez-Contreras, for their generous assistance with certain problems of translation. Last, but not least, I wish to express my thanks to the Denison University Research Foundation and to The Research Foundation of the State University of New York for summer grants that enabled me to pursue my translation work with Eugenio de Andrade in Portugal.

Inhabited Heart

ESPERA

Horas, horas sem fim,
pesadas, fundas,
esperarei por ti
até que todas as coisas sejam mudas.

Até que uma pedra irrompa
e floresça.
Até que um pássaro me saia da garganta
e no silêncio desapareça.

WAITING

Hours, hours without end,
thick, deep,
I will wait for you,
till all that is is still.

Till a stone bursts forth
and blossoms.
Till a bird flies from my throat
and, into silence, disappears.

OS AMANTES SEM DINHEIRO

Tinham o rosto aberto a quem passava.
Tinham lendas e mitos
e frio no coração.
Tinham jardins onde a lua passeava
de mãos dadas com a água
e um anjo de pedra por irmão.

Tinham como toda a gente
o milagre de cada dia
escorrendo pelos telhados;
e olhos de oiro
onde ardiam
os sonhos mais tresmalhados.

Tinham fome e sede como os bichos,
e silêncio
à roda dos seus passos.
Mas a cada gesto que faziam
um pássaro nascia dos seus dedos
e deslumbrado penetrava nos espaços.

PENNILESS LOVERS

They had faces open to whoever passed.
They had legends and myths
and a chill in the heart.
They had gardens where the moon strolled
hand in hand with the water.
They had an angel of stone for a brother.

They had like everyone
the miracle of every day
dripping from the roofs;
and golden eyes
glowing with
a wilderness of dreams.

They were hungry and thirsty like animals,
and there was silence
around their steps.
But at every gesture they made,
a bird was born from their fingers
and, dazzled, vanished into space.

POEMA À MÃE

No mais fundo de ti,
eu sei que traí, mãe.

Tudo porque já não sou
o retrato adormecido
no fundo dos teus olhos.

Tudo porque tu ignoras
que há leitos onde o frio não se demora
e noites rumorosas de águas matinais.

Por isso, às vezes, as palavras que te digo
são duras, mãe,
e o nosso amor é infeliz.

Tudo porque perdi as rosas brancas
que apertava junto ao coração
no retrato da moldura.

Se soubesses como ainda amo as rosas,
talvez não enchesses as horas de pesadelos.

Mas tu esqueceste que as minhas pernas cresceram,
que todo o meu corpo cresceu,
e até o meu coração
ficou enorme, mãe!

Olha — queres ouvir-me? —
às vezes ainda sou o menino
que adormeceu noe teus olhos;

ainda aperto contra o coração
rosas tão brancas
como as que tens na moldura:

ainda oiço a tua voz:
Era uma vez uma princesa
no meio de um laranjal . . .

TO MOTHER

I know I betrayed you, mother,
in your deepest depths.

All because I'm no longer
the sleeping portrait
deep in your eyes.

All because you choose not to know
that there are beds where the cold comes quickly
and nights sonorous with the waters of dawn.

Therefore, sometimes, the words I say to you
are harsh, mother,
and our love is unhappy.

All because I lost those white roses
that I pressed to my heart
in the picture in the frame.

If you knew how I still love roses,
perhaps you wouldn't fill the hours with bad dreams.

But you've forgotten many things;
forgotten that my legs grew long,
that all my body grew,
and even my heart
grew huge, oh mother.

Look — won't you listen?
Sometimes I am still the child
who slept in your eyes;

still press against my heart
roses as white
as those in your frame:

still hear your voice:
    Once upon a time there was a princess
    in the middle of an orange grove . . .

Mas — tu sabes — a noite é enorme,
e todo o meu corpo cresceu.
Eu saí da moldura,
dei às aves os meus olhos a beber.

Não me esqueci de nada, mãe.
Guardo a tua voz dentro de mim.
E deixo-te as rosas.

Boa noite. Eu vou com a aves.

But — you know — the night is vast,
and all my body grew.
I left the frame
and gave my eyes to the birds to drink.

I have forgotten nothing, mother.
I keep your voice within me.
And I leave you the roses.

Good night. I go with the birds.

ADEUS

Já gastámos as palavras pela rua, meu amor,
e o que nos ficou não chega
para afastar o frio de quatro paredes.
Gastámos tudo menos o silêncio.
Gastámos os olhos com o sal das lágrimas,
gastámos as mãos à força de as apertarmos,
gastámos o relógio e as pedras das esquinas
em esperas inúteis.

Meto as mãos nas algibeiras e não encontro nada.
Antigamente tínhamos tanto para dar um ao outro;
era como se todas as coisas fossem minhas:
quanto mais te dava mais tinha para te dar.

Às vezes tu dizias: os teus olhos são peixes verdes.
E eu acreditava.
Acreditava,
porque ao teu lado
todas as coisas eram possíveis.

Mas isso era no tempo dos segredos,
era no tempo em que o teu corpo era um aquário,
era no tempo em que os meus olhos
eram realmente peixes verdes.
Hoje são apenas os meus olhos.
É pouco, mas é verdade,
uns olhos como todos os outros.

Já gastámos as palavras.
Quando agora digo: *meu amor,*
já se não passa absolutamente nada.
E no entanto, antes das palavras gastas,
tenho a certeza
de que todas as coisas estremeciam
só de murmurar o teu nome
no silêncio do meu coração.

FAREWELL

We've worn our words to death, my love, walking in the
 streets,
and what remains to us won't be enough to
keep at bay the cold of our four walls.
We've worn out all but silence.
We've worn away our eyes with the salt of tears,
we've worn our hands out, hand in hand, caressing,
we've worn the clock out and the cobblestones at corners
in useless waiting.

I reach into my pockets and find nothing.
We used to have so much to give each other;
it was as if all things were mine:
the more I gave, the more I had to give.

Sometimes you would say: your eyes are green fish.
And I believed you.
Believed
because at your side
all things were possible.

But that was at a time of secrets,
a time when your body was an aquarium,
a time when my eyes
were really green fish.
Today they are merely my eyes.
Not much, but that's the truth,
eyes like any others.

We've worn our words to death.
When now I say: *my love*,
nothing happens, absolutely nothing.
And yet, before the words were spent,
I'm certain
that everything trembled
at the mere murmur of your name
in the silence of my heart.

Não temos já nada para dar.
Dentro de ti
não há nada que me peça água.
O passado é inútil como um trapo.
E já te disse: as palavras estão gastas.

Adeus.

Now we have nothing to give.
There is nothing within you
that asks me for water.
The past is useless as a rag.
And I've already told you: the words are spent.

Farewell.

CORAÇÃO HABITADO

Aqui estão as mãos.
São os mais belos sinais da terra.
Os anjos nascem aqui:
Frescos, matinais, quase de orvalho,
de coração alegre e povoado.

Ponho nelas a minha boca,
respiro o sangue, o seu rumor branco,
aqueço-as por dentro, abandonadas
nas minhas, as pequenas mãos do mundo.

Alguns pensam que são as mãos de deus,
— eu sei que são as mãos de um homem,
trémulas barcaças onde a água,
a tristeza e as quatro estações
penetram, indiferentemente.

Não lhes toquem: são amor e bondade.
Mais ainda: cheiram a madressilva.
São o primeiro homem, a primeira mulher.
E amanhece.

INHABITED HEART

Here are the hands.
They are the most beautiful signs of earth.
Angels are born here:
fresh, of the dawn, almost of dew,
with joyful, peopled hearts.

I place my mouth on them,
breathe their blood, a white murmur,
warm them from within, surrendered
in mine, the little hands of the world.

Some think they are the hands of god
— I know they are the hands of a man,
tremulous hulks where water,
sadness and the four seasons,
indifferent, filter in.

Don't touch them: they are love and goodness.
Even more: they smell of honeysuckle.
They are the first man, the first woman.
And now the dawn.

APENAS UM CORPO

Respira. Um corpo horizontal,
tangível, respira.
Um corpo nu, divino,
respira, ondula, infatigável.

Amorosamente toco o que resta dos deuses.
As mãos seguem a inclinação
do peito e tremem,
pesadas de desejo.

Um rio interior aguarda.
Aguarda um relâmpago,
um raio de sol,
outro corpo.

Se encosto o ouvido á sua nudez,
uma música sobe,
ergue-se do sangue,
prolonga outra música.

Um novo corpo nasce,
nasce dessa música que não cessa,
desse bosque rumoroso de luz,
debaixo do meu corpo desvelado.

JUST A BODY

It breathes. A horizontal body,
tangible, it breathes.
A body naked, divine,
it breathes, undulates, tireless.

Lovingly I touch what remains of the gods.
My hands follow the flow
of the chest and tremble,
heavy with desire.

An inner river waits.
Awaits a flash of lightning,
a ray of sunlight,
another body.

If I place my ear to its nakedness,
a music ascends,
rising from the blood,
prolonging another music.

A new body is born,
born of that endless music,
of that forest murmuring with light,
beneath my body, bared.

LITANIA

O teu rosto inclinado pelo vento;
a feroz brancura dos teus dentes;
as mãos, de certo modo, irresponsáveis,
e contudo sombrias, e contudo transparentes;

o triunfo cruel das tuas pernas,
colunas em repouso se anoitece;
o peito raso, claro, feito de água;
a boca sossegada onde apetece

navegar ou cantar, ou simplesmente ser
a cor de um fruto, o peso de uma flor;
as palavras mordendo a solidão,
atravessadas de alegria e de terror;

são a grande razão, a única razão.

LITANY

Your face bent by the breeze;
the ferocious whiteness of your teeth;
your hands somehow irresponsible,
in any case somber, in any case transparent;

The cruel triumph of your legs,
columns at rest when night falls;
your level breast, clear, made of water;
your quiet mouth where one longs

to sail or sing, or simply be
the color of a fruit, the weight of a flower;
words pierced by joy and terror,
biting into solitude;

They are the great cause, the only cause.

AS PALAVRAS

São como um cristal,
as palavras.
Algumas, um punhal,
um incêndio.
Outras,
orvalho apenas.

Secretas vêm, cheias de memória.
Inseguras navegam:
barcos ou beijos,
as águas estremecem.

Desamparadas, inocentes,
leves.
Tecidas são de luz
e são a noite.
E mesmo pálidas
verdes paraísos lembram ainda.

Quem as escuta? Quem
as recolhe, assim,
cruéis, desfeitas,
nas suas conchas puras?

WORDS

They are like a crystal,
words.
Some a dagger,
some a blaze.
Others,
merely dew.

Secret they come, full of memory.
Insecurely they sail:
cockleboats or kisses,
the waters trembling.

Abandoned, innocent,
weightless.
They are woven of light.
They are the night.
And even pallid
they recall green paradise.

Who hears them? Who
gathers them, thus,
cruel, shapeless,
in their pure shells?

QUE DIREMOS AINDA?

Vê como de súbito o céu se fecha
sobre dunas e barcos,
e cada um de nós se volta e fixa
os olhos um no outro,
e como deles devagar escorre
a última luz sobre as areias.

Que diremos ainda? Serão palavras,
isto que aflora aos lábios?
Palavras?, este rumor tão leve
que ouvimos o dia desprender-se?
Palavras, ou luz ainda?

Palavras, não. Quem as sabia?
Foi apenas lembrança de outra luz.
Nem luz seria, apenas outro olhar.

WHAT THEN SHALL WE SAY?

See how suddenly the sky closes
over the dunes and boats,
and each of us turns and fixes
his eyes on the other,
and see how the last light slowly
drips from them onto the sand.

What then shall we say? Could it be words,
this that rises to the lips?
Words? this sound so soft
that we can hear the day as it departs?
Words, or still perhaps just light?

Words, no. Who would know them?
It is just the memory of another light.
Perhaps not even a light, just another gaze.

CRISTALIZAÇÕES

1.
Com palavras amo.

2.
Inclina-te como a rosa
só quando o vento passe.

3.
Despe-te
como o orvalho
na concha da manhã.

4.
Ama
como o rio sobe os últimos degraus
ao encontro do seu leito.

5.
Como podemos florir
ao peso de tanta luz?

6.
Estou de passagem:
amo o efémero.

7.
Onde espero morrer
será manhã ainda?

CRYSTALIZATIONS

1.
I love with words.

2.
Like the rose, bend
only when the wind blows.

3.
Disrobe
like the dew
in the curved shell of the morning.

4.
Love
as the river climbs the last steps
to find its bed.

5.
How can we blossom
under the weight of so much light?

6.
I am passing through:
I love the ephemeral.

7.
Where I hope to die
will it still be morning?

NATUREZA-MORTA COM FRUTOS

1.
O sangue matinal das framboesas
escolhe a brancura do linho para amar.

2.
A manhã cheia de brilhos e doçura
debruça o rosto puro na maçã.

3.
Na laranja o sol e a lua
dormem de mãos dadas.

4.
Cada bago de uva sabe de cor
o nome dos dias todos do verão.

5.
Nas romãs eu amo
o repouso no coração do lume.

STILL-LIFE WITH FRUIT

1.
The morning blood of raspberries
chooses the whiteness of linen to love.

2.
Morning filled with glistenings and sweetness
rests it pure face upon the apple.

3.
In the orange the sun and the moon
sleep hand in hand.

4.
Each grape knows by heart
the names of all of summer's days.

5.
I love the stillness
in the heart of the pomegranate's flame.

METAMORFOSES DA CASA

Ergue-se aérea pedra a pedra
a casa que só tenho no poema.

A casa dorme, sonha no vento
a delícia súbita de ser mastro.

Como estremece um torso delicado,
assim a casa, assim um barco.

Uma gaivota passa e outra e outra,
a casa não resiste: também voa.

Ah, um dia a casa será bosque,
à sua sombra encontrarei a fonte
onde um rumor de água é só silêncio.

METAMORPHOSIS OF THE HOUSE

Stone by airy stone it rises,
that house which only in a poem is mine.

The house sleeps, dreaming in the wind
of the sudden delight of being a mast.

As a delicate body trembles,
so too the house, so too a ship.

A seagull flies by and another and another,
the house cannot resist: it also flies.

Ah, one day the house will be forest,
and in its shadow I will find a spring
where the sound of water is nothing but silence.

LISBOA

Esta névoa sobre a cidade, o rio,
as gaivotas doutros dias, barcos, gente
apressada ou com o tempo todo para perder,
esta névoa onde começa a luz de Lisboa,
rosa e limão sobre o Tejo, esta luz de água,
nada mais quero de degrau em degrau.

EM PAESTUM, COM LUA NOVA

No céu de Paestum
as colunas
sobem à altura
rigorosa
da lua nova e da alma.
À música deserta
e rouca das cigarras.
Ao aroma inesperado
de uma rosa.

LISBON

This fog upon the city, the river,
seagulls of another day, boats, people
in a rush or with all the time in the world,
this fog where the light of Lisbon begins,
rose and lemon upon the Tagus, the light of water,
I wish for nothing else as I climb from street to street.

PAESTUM, WITH NEW MOON

In the sky of Paestum
columns
rise to the
pitiless height
of the new moon and the soul.
To the hoarse, deserted
music of the cicadas.
To the unexpected fragrance
of a rose.

REQUIEM PARA PIER PAOLO PASOLINI

Eu pouco sei de ti mas este crime
torna a morte ainda mais insuportável.
Era novembro, devia fazer frio, mas tu
já nem o ar sentias, o próprio sexo
que sempre fora fonte agora apunhalado.
Um poeta, mesmo solar como tu, na terra
é pouca coisa; uma navalha, o rumor
de abril podem matá-lo — amanhece,
os primeiros autocarros já passaram,
as fábricas abrem os portões, os jornais
anunciam greves, repressão, dois mortos na primeira
página, o sangue apodrece ou brilhará
ao sol, se o sol vier, no meio das ervas.
O assassino esse seguirá dia após dia
a insultar o amargo coração da vida,
no tribunal insinuará que respondera apenas
a uma agressão (moral) com outra agressão,
como se alguém ignorasse, excepto claro
os meritíssimos juízes, que as putas desta espécie
confundem moral com o próprio cu.
O roubo chega e sobra excelentíssimos senhores
como móbil de um crime que os fascistas,
e não só os de Salò, não se importariam de assinar.
Seja qual for a razão, e muitas há
que o Capital a Igreja e a Polícia
de mãos dadas estão sempre prontos a justificar,
Pier Paolo Pasolini está morto.
A farsa a nojenta farsa essa continua.

REQUIEM FOR PIER PAOLO PASOLINI

Of you I know little, but this crime
makes death even more unbearable.
It was November, it must have been cold, but you
no longer felt the air, your very sex,
that had always been a spring of life, now stabbed.
A poet, even one like you, bright with sun, is a small thing
on this earth; a switch-blade, the sound
of April can kill him — it dawns,
the first buses have already passed,
the factories are opening their gates, the papers
announce strikes, repression, two deaths on the first
page, the blood rots or will glisten
in the sun, if the sun comes out, in the midst of the grass.
The murderer will continue, day after day,
insulting the bitter heart of life,
in court he will suggest that he had merely responded
to a (moral) aggression with another aggression,
as if no one knows, except of course
the most worthy judges, that that kind of whore
confuses morals with his own precious ass.
Robbery is more than enough, most excellent sirs,
as motive for a crime the fascists,
and not just those of Salo, wouldn't mind subscribing to.
Whatever the reason, and there are many
that Capital, Church, and Police,
hand in hand, are always ready to propose,
Pier Paolo Pasolini is dead.
The farce, that nauseating farce, goes on.

À MEMÓRIA DE RUY BELO

Provavelmente já te encontrarás à vontade
entre os anjos e, com esse sorriso onde a infância
tomava sempre o comboio para as férias grandes,
já terás feito amigos, sem saudades dos dias
onde passaste quase anónimo e leve
como o vento da praia e a rapariga de Cambridge,
que não deu por ti, ou se deu era de Vila do Conde.
A morte como a sede sempre te foi próxima,
sempre a vi a teu lado, em cada encontro nosso
ela ali estava, um pouco distraída, é certo,
mas estava, como estava o mar e a alegria
ou a chuva nos versos da tua juventude.
Só não esperava tão cedo vê-la assim, na quarta
página de um jornal trazido pelo vento,
nesse agosto de Caldelas, no calor do meio-dia,
jornal onde em primeira página também vinha
a promoção de um militar a general,
ou talvez dois, ou três, ou quatro, já não sei:
isto de militares custa a distingui-los,
feitos em forma como os galos de Barcelos,
igualmente bravos, igualmente inúteis,
passeando de cu melancólico pelas ruas
a saudade e a sífilis de um império,
e tão inimigos todos daquela festa
que em ti, em mim, e nas dunas principia.

TO THE MEMORY OF RUY BELO

Probably you're already at ease
among the angels, and, with that smile where childhood
is always taking the train for summer vacation,
you must have already made friends, without regrets for
  the days
through which you passed almost anonymous and light
like the wind on the beach and the girl from Cambridge,
who didn't notice you, or if she did, she was from Vila do
  Conde.*
Death, like thirst, was always near you,
I always saw her by your side, whenever we met
there she was, a bit distracted, it's true,
but always there, as were sea and joy
and rain in the verses of your youth.

I just didn't expect to see it like that, so soon, on the fourth
page of a newspaper carried by the wind
in this August at Caldelas,† in the midday heat,
a newspaper whose first page also brought
the promotion of an officer to general,
or perhaps two or three or four of them, I can't remember:
this business of soldiers, it's hard to tell them apart,
all cast in the same mold like the roosters of Barcelos,‡
equally brave, equally useless,
walking the nostalgia and the syphilis of an empire
through the streets, with melancholic asses,
and so at enmity, all of them, with that festival
that stirs in you, in me, and on the dunes.

*Medium-sized seashore town in the North of Portugal
†Well-known health spa in the north of Portugal
‡Mass-produced ceramic roosters, emblems of Portugal

Consola-me ao menos a ideia de te haverem
deixado em paz na morte; ninguém na assembleia
da república fingiu que te lera os versos,
ninguém, cheio de piedade por si próprio,
propôs funerais nacionais ou, a título póstumo,
te quis fazer visconde, cavaleiro, comendador,
qualquer coisa assim para estrumar os campos.
Eles não deram por ti, e a culpa é tua,
foste sempre discreto (até mesmo na morte),
não mandaste à merda o país, nem nenhum ministro,
não chateaste ninguém, nem sequer a tua lavadeira,
e foste a enterrar numa aldeia que não sei
onde fica, mas seja onde for será a tua.

Agrada-me que tudo assim fosse, e agora
que começaste a fazer corpo com a terra
a única evidência é crescer para o sol.

1978

At least the thought that in death they'll leave you alone
consoles me; no one in the national assembly
pretended to have read your poems,
no one, brimming with self-pity,
proposed national funerals or a posthumous title,
wanted to make you viscount, knight, order-of-the-garter,
something of that sort for manuring the fields.
They didn't notice you, and the fault is yours,
you were always discreet (even in death),
didn't tell the country or any cabinet minister to go to hell,
didn't rub anyone the wrong way, not even your laundry
    woman,
and you were laid to rest in a village whose whereabouts
I do not know, but wherever it may be, now it is yours.

I'm glad it was like that, and now
that you've begun to form a body with the earth
the only certainty is a growing toward the sun.

A MÚSICA

Os álamos.

Essa música
de matutina cal.

Doces vogais
de sombra e água
num verão de fulvos
lentos animais.

Calhandra matinal
na areia
branca de junho.

Acidulada música
de cardos
e navalhas.

Música do fogo
em redor dos lábios.

Desatada
à roda da cintura.

Entre as pernas
junta.

Música
das primeiras chuvas
sobre o feno.

Só aroma,
abelha de água.

Repouso e regaço
onde o lume breve
de uma romã brilha.

Música, levai-me:

Onde estão as barcas?
Onde são as ilhas?

MUSIC

Poplars.

This music
of morning's white-washed walls.

Sweet vowels
of shadow and water
in a summer of tawny
lazing animals.

Morning lark
in the white
sand of June.

Acidic music
of thistles
and knives.

Music of fire
around the lips.

Unbuttoned
round the waist.

Between the legs
just there.

Music
of the first rains
upon the hay.

Fragrance only,
bee of water.

Rest and retreat
where the brief flame
of a pomegranate shines.

Music, take me:

Where are the boats?
Where are the islands?

OS ANIMAIS

Vejo ao longe os meus dóceis animais.
São altos e as suas crinas ardem.
Correm a procurar a tua boca,
a púrpura farejam entre juncos quebrados.

A própria sombra bebem devagar.
De vez em quando erguem a cabeça.
Olham de perfil, quase felizes
de ser tão leve o ar.

Encostam o focinho perto dos teus flancos,
onde a erva do corpo é mais confusa,
e como quem se aquece ao sol
respiram lentamente, apaziguados.

ANIMALS

Far off I see my docile animals.
They are tall and their manes burn.
They run, searching for your mouth,
they sniff the purple among broken rushes.

Slowly they drink the very shade.
Now and then they lift their heads.
They gaze in profile, almost happy
that the air is so light.

They place their muzzles near your loins,
where the body's grass is most confused,
and like someone basking in the sun,
slowly they breathe, soothed, calm.

ARIANE

Agora falarei dos olhos de Ariane.
Falarei dos teus olhos, pois de Ariane
só talvez haja memória
entre as pernas de Teseu.

De Ariane ou não, os olhos são azuis.
Azuis de um azul muito frágil,
como se ao fazer a cor uma criança
tivesse calculado mal a água.
É um azul diluído, o azul dos teus olhos,
diluído em duas ou três lágrimas
— uma delas minha, pelo menos uma,
e as outras tuas, as outras de Ariane.

Falarei destes olhos. Os de Ariane,
deles deixarei que seja Teseu a falar.
Falarei desse azul que não vi em Creta,
pois passei a infância numa terra sem mar,
falarei desse azul que não vi em Naxos,
mas vi em Delfos onde, entre colunas,
passava os dias divinamente a fornicar,
indiferente ao oráculo de Apolo.
De resto, que deus grego não me aprovaria?
Que outra coisa se pode fazer na Grécia?
Ali podeis fornicar com toda a gente
— é clássico e barato — ,
até com os coronéis.

Agora falarei dos olhos gregos de Ariane,
que não são de Ariane nem são gregos,
desses olhos que se fossem música
seriam a música de água dos oboés,
falarei apenas dos olhos do meu amor,
desses olhos de um azul tão azul
que são mesmo o azul dos olhos de Ariane.

ARIADNE

Now I will speak of Ariadne's eyes.
I will speak of your eyes, for of Ariadne
there is only, perhaps, a memory
between Theseus' legs.

Whether Ariadne's or not, the eyes are blue.
Blue with a very fragile blue,
as if in stirring paints a child
has mixed in too much water.
It is a diluted blue, the blue of your eyes,
diluted by two or three tears
— one of them mine, at least one,
and the others yours, the others Ariadne's.

I will speak of these eyes. As for Ariadne's,
I will leave them for Theseus to discuss.
I will speak of that blue I did not see in Crete,
since I spent my childhood in a land without sea,
I will speak of that blue I did not see in Naxos,
but saw in Delphi where, among the columns,
I passed my days divinely fornicating,
indifferent to Apollo's oracle.
In any case, what Greek God would disapprove of me?
What else can one possibly do in Greece?
There you can fornicate with everyone
— it's classical and cheap —
even with the colonels.

Now I will speak of Ariadne's Greek eyes,
which are not Ariadne's and are not Greek,
of those eyes which, were they music,
would be the water music of oboes,
I will speak only of the eyes of my love,
of those eyes of a blue so blue
it is the very blue of Ariadne's eyes.

CORPO HABITADO

Corpo num horizonte de água,
corpo aberto
à lenta embriaguez dos dedos,
corpo defendido
pelo fulgor das maçãs,
rendido de colina em colina,
corpo amorosamente humedecido
pelo sol dócil da língua.

Corpo com gosto a erva rasa
de secreto jardim,
corpo onde entro em casa,
corpo onde me deito
para sugar o silêncio,
ouvir
o rumor das espigas
respirar
a doçura escuríssima das silvas.

Corpo de mil bocas,
e todas fulvas de alegria,
todas para sorver,
todas para morder até que um grito
irrompa das entranhas,
e suba às torres,
e suplique um punhal.
Corpo para entregar às lágrimas.
Corpo para morrer.

Corpo para beber até ao fim —
meu oceano breve
e branco,
minha secreta embarcação,
meu vento favorável,
minha vária, sempre incerta
navegação.

INHABITED BODY

Body on a horizon of water,
body open
to the slow intoxication of fingers,
body defended
by the splendor of apples,
surrendered hill by hill,
body lovingly made moist
by the tongue's pliant sun.

Body with the taste of cropped grass
in a secret garden,
body where I am at home,
body where I lie down
to suck up silence,
to hear
the murmur of blades of grain,
to breathe
the deep dark sweetness of the bramble bush.

Body of a thousand mouths,
all tawny with joy,
all ready to sip,
ready to bite till a scream
bursts from the bowels,
and mounts to the towers,
and pleads for a dagger.
Body for surrendering to tears.
Body ripe for death.

Body for imbibing to the end —
my ocean, brief
and white,
my secret vessel,
my propitious wind,
my errant, unknown,
endless navigation.

NAS ERVAS

Escalar-te lábio a lábio,
percorrer-te: eis a cintura,
o lume breve entre as nádegas
e o ventre, o peito, o dorso,
descer aos flancos, enterrar

os olhos na pedra fresca
dos teus olhos,
entregar-me poro a poro
ao furor da tua boca,
esquecer a mão errante
na festa ou na fresta

aberta à doce penetração
das águas duras,
respirar como quem tropeça
no escuro, gritar
às portas da alegria,
da solidão,

porque é terrível
subir assim às hastes da loucura,
do fogo descer à neve,

abandonar-me agora
nas ervas ao orvalho —
a glande leve.

IN THE GRASS

To climb you lip to lip,
to travel and explore: here the waist,
the brief flame between buttocks
and belly, the chest, the back,
to descend to the loins, to bury

my eyes in the fresh stone
of your eyes,
to give myself pore to pore
to the rapture of your mouth,
to lose my wandering hand
in whatever place or pleasure

open to the soft penetration
of hard waters,
to breathe like someone stumbling
in the dark, to cry out
at the doors of joy,
of solitude,

for it is terrible
to climb the stalks of madness,
to descend from fire to snow,

and then to surrender
in the grass to the dew —
my bow now slack.

DESDE O CHÃO

A pele porosa do silêncio
agora que a noite sangra nos pulsos
traz-me o teu rumor de chuva branca.

O verão anda por ai, o cheiro
violento da beladona cega a terra.
Cega também, a boca procura
trabalhos de amor. Encontra apenas
o nó de sombra das palavras.

Palavras... Onde um só grito
bastaria, há a gordura
das palavras. Palavras —
quando apetecem claridades súbitas,
o sumo estreme, a ponta extrema
do teu corpo, arco, flecha,
corola de água aberta
ao fogo a prumo do meu corpo.

Do chão ao cume das colinas,
eis as areias. Cala-te.
Deita-te. Debaixo dos meus flancos.
A terra toda em cima. Agora arde. Agora.

TO THE GROUND

The porous skin of silence,
now that the night bleeds at its wrists,
brings to me the murmur of your white rain.

Summer is somewhere out there, the violent
smell of belladonna blinds the earth.
Blind as well, the mouth searches
for the works of love. But finds instead
the shadowy knot of words.

Words . . . Where a single cry
would be enough, the blubber
of words. Words —
when one yearns for instant clarity,
pure pap, the furthest reaches
of your body, bow, arrow,
crown of water open
to the slant fire of my body.

From the ground to the hilltops,
behold the sands. Be still.
Lie down. Beneath my thighs.
All the earth above. Now burn. Now. Now.

DISSONÂNCIAS

Pedra a pedra
a casa vai regressar.
Já nos ombros sinto o ardor
da sua navegação.

Vai regressar
o silêncio com as harpas.
As harpas com as abelhas.

No verão morre-se
tão devagar à sombra dos ulmeiros!

Direi então:
Um amigo
é o lugar da terra
onde as maçãs brancas são mais doces.

Ou talvez diga:
O outono amadurece nos espelhos.
Já nos meus ombros sinto
a sua respiração.
Não há regresso: tudo é labirinto.

DISSONANCES

Stone by stone
the house will come back.
On my shoulders I already feel
the burning of its passage.

Silence with harps.
Harps with bees,
all will come back.

In summer one slowly
dies in the shade of the elms.

I will say then:
A friend
is the place on earth
where white apples are most sweet.

Or perhaps I will say:
Autumn ripens in the mirrors.
On my shoulders I already feel
its breath.
There is no coming back: all is labyrinth.

O SILÊNCIO

Quando a ternura
parece já do seu ofício fatigada,

e o sono, a mais incerta barca,
inda demora,

quando azuis irrompem
os teus olhos

e procuram
nos meus navegação segura,

é que eu te falo das palavras
desamparadas e desertas,

pelo silêncio fascinadas.

COM OS ÁLAMOS

Pouco importa o nome:
para nascer
escolhi um rio.

A criança que fui
tem agora a idade
de uma pedra de água.

Enquanto dorme
parte com os pombos bravos.
Quando regressar
virá com os álamos.

SILENCE

When tenderness
seems tired at last of its offices

and sleep, that most uncertain vessel,
still delays,

when blue bursts from
your eyes

and searches
mine for steady seamanship,

then it is I speak to you of words
desolate, derelict,
transfixed by silence.

WITH THE POPLARS

The name hardly matters:
to be born
I chose a river.

The child I was
now is as old
as a stone of water.

While he sleeps
he goes with the wild doves.
When he returns
he will come with the poplars.

DESDE A AURORA

Como um sol de polpa escura
para levar à boca,
eis as mãos:
procuram-te desde o chão,

entre os veios do sono
e da memória procuram-te:
à vertigem do ar
abrem as portas:

vai entrar o vento ou o violento
aroma de uma candeia,
e subitamente a ferida
recomeça a sangrar:

é tempo de colher: a noite
iluminou-se bago a bago: vais surgir
para beber de um trago
como um grito contra o muro.

Sou eu, desde a aurora,
eu — a terra — que te procuro.

SINCE DAWN

Like a sun of dark pulp
to be lifted to one's mouth,
look, my hands:
from the ground they search for you,

between the veins of sleep
and memory they search for you:
they open doors
to the reeling of the air:

in comes the wind or the wild
smell of an oil lamp,
and suddenly the wound
begins to bleed afresh:

it is time for harvesting: the night
brightens grape by grape: and you emerge
to swallow it at a gulp
like a cry against the wall.

It is I, since dawn,
I — the earth — searching for you.

TRÊS OU QUATRO SÍLABAS

Neste país
onde se morre de coração inacabado
deixarei apenas três ou quatro sílabas
de cal viva junto à água

É só o que me resta
e o bosque inocente do teu peito
meu tresloucado e doce e frágil
pássaro das areias apagadas

Que estranho ofício o meu
procurar rente ao chão
uma folha entre a poeira e o sono
húmida ainda do primeiro sol

THREE OR FOUR SYLLABLES

In this land
where one dies of an incomplete heart
I will leave just three or four syllables
of quicklime beside the water

Only that remains to me, that
and the innocent glade of your chest
my demented sweet and fragile
bird of extinguished sands

How strange my task
to search close to the ground
for a leaf between the dust and sleep
moist still from the early sun

OS RESÍDUOS

O ar começa a doer
quando lentíssimos de amor
os resíduos caem
na palha:

a exígua
substância da alegria
ou lisa pedra de outono
morre na flor da candeia:

a escuridão invade
o pulso e gota a gota
a loucura
acode branca:

enquanto crescem dentes
à noite solitária
vem a música do sono
na água.

THE RESIDUE

The air begins to ache
when sluggish from love
the residue falls
to the straw:

the brief
substance of joy
or smooth stone of autumn
dies in the flower of lamplight:

darkness invades
the pulse and drop by drop
madness
rushes forward, white:

while the solitary night
grows teeth
the music of sleep
comes with the water.

CALA-TE, A LUZ ARDE ENTRE OS LÁBIOS

Cala-te, a luz arde entre os lábios
e o amor não contempla, sempre
o amor procura, tacteia no escuro,
esta perna é tua?, é teu este braco?,
subo por ti de ramo em ramo,
respiro rente à tua boca,
abre-se a alma à língua, morreria
agora se mo pedisses, dorme,
nunca o amor foi fácil, nunca,
também a terra morre.

OLHA, JÁ NEM SEI DE MEUS DEDOS

Olha, já nem sei de meus dedos
roídos de desejo, tocava-te a camisa,
desapertava um botão,
adivinhava-te o peito cor de trigo,
de pombo bravo, dizia eu,
o verão quase no fim,
o vento nos pinheiros, a chuva
pressentia-se nos flancos,
a noite, não tardaria a noite,
eu amava o amor, essa lepra.

BE STILL, LIGHT BURNS BETWEEN THE LIPS

Be still, light burns between the lips
and love does not ponder, always
love searches, touches in the dark,
this leg, is it yours? is this your arm?
I climb you branch by branch,
breathe close to your mouth,
the soul opens itself to the tongue, I would die
now if you asked me to, sleep,
love was never easy, never,
the earth also dies.

LOOK, I DON'T EVEN KNOW ABOUT MY FINGERS ANYMORE

Look I don't even know about my fingers anymore,
gnawed with desire, I touched your shirt,
undid a button,
imagined your breast the color of wheat,
or of a wild dove, perhaps,
the summer almost at an end,
the wind in the pines, the rain
foreseen upon your loins,
the night, soon the night would come:
I was in love with love, that leper.

COMO SE FOSSEM FOLHAS AINDA

Como se fossem folhas ainda
os pássaros cantam
no ar lavado das tílias:
algumas cintilações
vão caíndo nestas sílabas.

ESSA MULHER, A DOCE MELANCOLIA

Essa mulher, a doce melancolia
dos seus ombros, canta.
O rumor
da sua voz entra-me pelo sono,
é muito antigo.
Traz o cheiro acidulado
da minha infância chapinhada ao sol.
O corpo leve, quase de vidro.

AS IF THERE WERE STILL LEAVES

As if there were still leaves
birds are singing
in the washed air of the linden trees:
a few scintillations
falling, falling with these syllables.

THAT WOMAN, THE SWEET SADNESS

That woman, the sweet sadness
of her shoulders, sings.
The sound
of her voice enters me through sleep,
an ancient sound.
It brings the acid smell
of childhood splashing under the sun.
A body light, almost of glass.

CAMINHA DEVAGAR

Caminha devagar:
desse lado o mar sobe ao coração.
Agora entra na casa,
repara no silêncio, é quase branco.
Há muito tempo que ninguém
se demorou a contemplar
os breves instrumentos do verão.
Pelo pátio rasteja ainda
o sol. Canta na sombra
a cal, a voz acidulada.

WALK SLOWLY

Walk slowly:
from this side the sea mounts to the heart.
Now enter the house,
note the silence, it is almost white.
It's been a long time since anyone
has paused to contemplate
the brief instruments of summer.
The sun still crawls
through the courtyard. In the shade,
lime's whitewash sings,
a touch of acid in its voice.

O CORPO VAI-SE ESQUECENDO DE TER RAZÃO

O corpo vai-se esquecendo de ter razão:
deixa-te estar assim contra a vidraça,
pelos ombros caída
até ao chão a fatigada luz da sombra,
na mão o ínfimo azul de um lenço
de água. Ou menos ainda.

OIÇO CORRER A NOITE PELOS SULCOS

Oiço correr a noite pelos sulcos
do rosto — dir-se-ia que me chama,
que subitamente me acaricia,
a mim, que nem sequer sei ainda
como juntar as sílabas do silêncio
e sobre elas adormecer.

THE BODY NOW FORGETS IT MUST BE RIGHT

The body now forgets it must be right:
it lets you lean like this against the window pane,
from your shoulders, fallen
to the ground, the shadow's worn-out light,
in your hand the thinnest blue, a patch
of water. Or even less.

I HEAR NIGHT FLOW THROUGH THE FURROWS

I hear night flow through the furrows
of my face — as if to call me,
as if, in just a moment, it will gently touch me,
I, who still don't even know
how to splice together syllables of silence
and drift upon them into sleep.

AS RAZÕES

As razões do mundo
não são exactamente as tuas razões.
Viver de mãos acesas não é fácil,
viver é iluminar

duma luz rasante a espessura do corpo,
a cegueira do muro.
Esse gosto a sangue
que trazia a primavera, se primavera havia,

não conduz à coroa do lume.
Os negros lençóis da água
e o excremento dos corvos marinhos
fazem parte da tua agonia.

E um sabor a sémen
que sempre a maresia traz consigo.

REASONS

The reasons of the world
are not exactly your reasons.
To live with burning hands isn't easy,
to live is to illuminate

with a skimming light the thickness of the body,
the blindness of the wall.
That taste of blood
which brought the spring, if spring there was,

does not lead to a crown of flame.
Black sheets of water
and the excrement of cormorants
compose your suffering.

It is a smell of semen
that the tidal breezes always bring.

E VAI CHEGANDO

E vai chegando, vai chegando ao fim
a luz de março.
Por aí andou, íntima de cada pedra
e dos gatos, pela relva

se espojou com as crianças,
as nalguinhas frescas.
Ninguém é senhor da luz detida
num olhar, ninguém

se demora a cantar frente ao silêncio
duma rosa fechada.
Se fores à janela talvez vejas ainda
morrer as últimas luzes.

Loucas, loucas de março.

IT'S COMING

It's coming, it's coming to an end,
the light of March.
That's where it wandered, an intimate of every stone
and of the cats, along the grass

it tumbled with the children,
their fresh little bottoms.
No one is lord of light arrested
in a glance, no one

hesitates to sing before the silence
of a closed rose.
If you go to the window, perhaps you'll still catch
the dying of the last light.

Madness. The madness of March.

FAZ UMA CHAVE

Faz uma chave, mesmo pequena,
entra na casa.
Consente na doçura, tem dó
da matéria dos sonhos e das aves.

Invoca o fogo, a claridade, a música
dos flancos.
Não digas pedra, diz janela.
Não sejas como a sombra.

Diz homem, diz criança, diz estrela.
Repete as sílabas
onde a luz é feliz e se demora.

Volta a dizer: homem, mulher, criança.
Onde a beleza é mais nova.

MAKE A KEY

Make a key, even a small one,
enter the house.
Give in to sweetness, pity
the substance of dreams and of birds.

Invoke the heat, the limpidness, the music
of loins.
Do not say stone, say window.
Do not become a shadow.

Say man, say child, say star.
Repeat those syllables
where light is happy and lingers.

Say once again: man, woman, child—
Where beauty is fresher still.

É UM LUGAR

É um lugar ao sul, um lugar onde
a cal
amotinada desafia o olhar.
Onde viveste. Onde às vezes no sono

vives ainda. O nome prenhe de água
escorre-te da boca.
Por caminhos de cabras descias
à praia, o mar batia

naquelas pedras, nestas sílabas.
Os olhos perdiam-se afogados
no clarão
do último ou do primeiro dia.

Era a perfeição.

IT'S A PLACE

It's a place in the south, a place where
whiteness
gone wild stares you in the eye.
Where you lived. Where sometimes in sleep

you are living still. The name heavy with water
drips from your mouth.
Along goat paths you dropped
to the beach, the sea pounding

those stones, these syllables.
Eyes lost themselves, drowned
in the dazzle
of the last or the very first day.

Perfection.

ÀS VEZES ENTRA-SE

Às vezes entra-se em casa com o outono
preso por um fio,
dorme-se então melhor,
mesmo o silêncio acabou por se calar.

Talvez pela noite fora oiça cantar o galo,
e um rapazito suba as escadas
com um cravo
e notícias de minha mãe.

Nunca fui tão amargo, digo-lhe então,
nunca à minha sombra a luz
morreu tão jovem
e tão turva.

Parece que vai nevar.

SOMETIMES ONE ENTERS

Sometimes one enters the house with autumn
hanging by a thread,
one sleeps better then,
even silence stills itself at last.

Perhaps out in the night I hear a rooster crow,
and a little boy climbs the stairs
with a carnation
and news of my mother.

I've never been so bitter, I tell him,
never in my shadow did the light
die so young
and so obscured.

It feels like snow.

AS CASAS

As casas entram pela água,
a porta do pátio aberta à estrela
matutina, em flor
os espinheiros,

nas janelas apenas a cintilação
juvenil do mar antigo,
esse que viu ainda as naves
do mais errante de quantos marinheiros

perderam norte e razão
a contemplar a reflectida estrela
da manhã:
só na morte não somos estrangeiros.

THE HOUSES

The houses enter the water,
front gates open to the morning
star, hawthorns
in blossom,

in the windows just the youthful
shimmer of an ancient sea,
the one that watched the ships
of the farthest straying seamen

blinded to compass and reason
contemplating the reflected
morning star:
only in death are we no longer strangers.

ESTOU CONTENTE

Estou contente, não devo nada à vida,
e a vida deve-me apenas
dez réis de mel coado.
Estamos quites, assim

o corpo já pode descansar: dia
após dia lavrou, semeou,
também colheu, e até
alguma coisa dissipou, o pobre,

pobríssimo animal,
agora de testículos aposentados.
Um dia destes vou-me estender
debaixo da figueira, aquela

que vi exasperada e só, há muitos anos:
pertenço à mesma raça.

I'M SATISFIED

I'm satisfied, I owe life nothing,
and life owes me just
a penny's worth of candy.
We're even, so now

the body can relax: day
after day it plowed, planted,
reaped as well, and even
squandered somewhat, oh poor,

poor animal,
its testicles now pensioned off.
One of these days I'm going to stretch out
under a fig tree, the one I noted,
exasperated and alone, years ago:
we are kith, we are kin.